图书在版编目（CIP）数据

神秘的咔嗒咔嗒 /（法）阿斯特丽德·戴斯博尔德，
（法）马克·布塔旺编著；于晓悠译. — 西安：未来出
版社，2018.8
（埃德蒙和他的朋友们）
ISBN 978-7-5417-6629-9

Ⅰ.①神… Ⅱ.①阿… ②马… ③于… Ⅲ.①儿童故
事—图画故事—法国—现代 Ⅳ.①I565.85

中国版本图书馆CIP数据核字（2018）第098150号
著作权合同登记号：陕版出图字25-2018-048

Copyright © 2016 by Éditions Nathan, SEJER, Paris-France
Édition originale : LA CHASSE AU TUC-TUC-TUC

神秘的咔嗒咔嗒 Shenmi de Kada Kada

[法] 阿斯特丽德·戴斯博尔德 文　[法] 马克·布塔旺 图　于晓悠 译

图书策划 孙肇志　　　　**编辑顾问** 袁秋乡
责任编辑 须　扬　　　　**特约编辑** 杜　瑜　钟虔虔
美术编辑 杨晓庆
出版发行 陕西新华出版传媒集团未来出版社
开本 787mm×1092mm 1/14　**印张** 2.5
印刷 广东广州日报传媒股份有限公司印务分公司
版次 2018年10月第1版
印次 2018年10月第1次印刷
书号 ISBN 978-7-5417-6629-9
定价 145.60元（全7册）
出品策划 荣信教育文化产业发展股份有限公司
网址 www.lelequ.com　**电话** 400-848-8788
乐乐趣品牌归荣信教育文化产业发展股份有限公司独家拥有
版权所有　翻印必究

埃德蒙和他的朋友们

神秘的咔嗒咔嗒

[法]阿斯特丽德·戴斯博尔德 文 [法]马克·布塔旺 图 于晓悠 译

乐乐趣®

陕西新华出版传媒集团

未来出版社

夜幕降临，森林里一片寂静。

大栗子树里，大家好像都睡熟了。

　　松鼠埃德蒙在床上翻来覆去。他想："夜深了，所有人都睡着了。所有人，除了我。"

埃德蒙把眼睛闭上，睁开，再闭得更紧一点儿。

过了一会儿，他自言自语道："天啊，我还是没睡着。"

埃德蒙坐起身来，望向窗外，夜静悄悄的。
"这真是一个特别黑的夜晚。"他想。
突然，他听到一阵奇怪的声响，"咔嗒咔嗒"。

埃德蒙从床上跳了起来。
"'咔嗒咔嗒'，这可不是什么好声音。"
他飞快地打开灯，上楼去找猫头鹰乔治。

　　原来，猫头鹰乔治也没睡，他正在缝制一套"龙装"。

　　"我听到一种奇怪的声音，'咔嗒咔嗒'，真可怕。"埃德蒙的声音在颤抖。

　　"我不知道这'咔嗒咔嗒'是什么，"乔治说，"但是，既然它很可怕，那咱们就去抓它！"

这对好朋友打着灯笼在黑夜里前行。埃德蒙看着自己在月光下被拉长的影子，心想："可怕的'咔嗒咔嗒'看到我的影子，或许会以为我是一只大个儿的松鼠。"

　　埃德蒙跟着乔治走在小路上。他们先是沿着河流走，然后穿过了一片菜园。

　　"我一点儿也不喜欢夜晚。"埃德蒙把灯笼的提杆攥得紧紧的，小声咕哝道。

　　"为什么呢？"乔治问，"夜晚多美好啊！"说着，乔治在一座谷仓前停住了脚步。"我想我们到了。"他说道。

　　埃德蒙藏在乔治身后，鼓起勇气睁开了眼睛。在他面前的，不是"咔嗒咔嗒"，而是一只微笑的蝙蝠。

　　"晚上好，米兹！"猫头鹰乔治说。

　　"乔治！真是稀客！"蝙蝠米兹叫道。

　　"我们在追捕可怕的'咔嗒咔嗒'，"乔治得意地说，"我想你可以帮帮我们。"

　　"追捕'咔咔咔咔'？"米兹重复道，"多棒的主意！"显然，他没弄懂乔治的意思。

　　三位朋友在林中的空地上仔细搜寻了一遍，察看了中空的树干、树根，还有河岸。

　　突然，埃德蒙停下来问道："你们听到了吗？"

　　"这个啊，"米兹安慰埃德蒙说，"这是大柳树里的风声。"

　　埃德蒙仔细听着，深深呼出一口气，心想："原来，大柳树里的风声这么好听啊。"

　　经过几个小时的搜索，米兹说："你们追捕的'咔咔咔咔'也许已经去睡觉了。"

　　乔治没有听见米兹的话。他目不转睛地盯着天空，说："那是属于大栗子树的星星，她就住在我们楼上。"

　　埃德蒙也望着天空。

　　"没有什么比星星更美丽了。"他说。

　　"如果你喜欢星星，"乔治回答，"你也应该喜欢夜晚！"

乔治和米兹给埃德蒙描述夜晚的美妙。米兹把远处的一只萤火虫指给他看。

　　"看起来，它就像一盏小小的灯笼。"埃德蒙心想。

　　没找到可怕的"咔嗒咔嗒"，三位朋友决定回家。

　　"我的灯笼灭了。"埃德蒙担心地说。

　　"没事，"米兹回答，"你还有月亮。"

　　回家以后，埃德蒙望着月亮，望着属于大栗子树的那颗星星，望着远方的小萤火虫，听着大柳树里的风声。

　　他爬上床躺下，心想："夜晚虽然很黑，但也很温柔。"

第二天早上埃德蒙醒来时，太阳早已高高挂在天上了。

透过天花板，从猫头鹰乔治家里传来了微小的声音。这个声音埃德蒙很熟悉，它来自乔治的缝纫机——"咔嗒咔嗒"。

没事，还有月亮

在深幽的月夜里，一只大头松鼠和一只戴着古怪头饰的猫头鹰提着灯笼，扬言要追踪可疑的"咔嗒咔嗒"，这无疑是异想天开。

故事开始于失眠。埃德蒙想："夜深了，所有人都睡着了。所有人，除了我。"作为一名资深的失眠症患者，我深知埃德蒙这句话是什么意思。夜晚是深邃的海，沉睡的人是安宁的岛屿，失眠的人则是漂来漂去无处着陆的孤舟，满载着焦虑或恐惧。

不眠之夜会有无端的惊扰，比如听到"咔嗒咔嗒"。埃德蒙孩子气而不假思索地认为"这可不是什么好声音"，并且果断去找猫头鹰乔治，后者正忙着缝制一套"龙装"。一只想成为龙的猫头鹰必定是充满了想象力的，因此，乔治虽没听到也不知何为"咔嗒咔嗒"，却附和着声音颤抖的埃德蒙要一同去抓它。

于是一场类似于《咕咚来了》的骚乱开始了。在那个故事里，谁都没见过的"咕咚"据说长着"三个脑袋六条腿"，一言不发，无影无踪，却搅得天下大乱。而在这个故事里，夜晚依然静谧，温和的风既吹不乱繁茂的花草，也吹不散两名追捕者被拉长的影子。他们经过草地，沿着河流，穿过菜园……多么美妙的散步路线——如果没有失眠，也没有追捕的话。

他们去了一趟谷仓，拉上蝙蝠米兹壮大队伍，三位朋友煞有介事地搜寻，察看，聆听……埃德蒙听到了大柳树里的风，乔治看见了大栗子树顶端的星星。万物似乎各有所属，风属于柳树，星星属于大栗子树……这种彼此相属让人安心，让人忘记"咔嗒咔嗒"的可怕——如米兹所说，被追